Cervantes

PARA PRINCIPIANTES

Rubén Mira · Sergio Langer

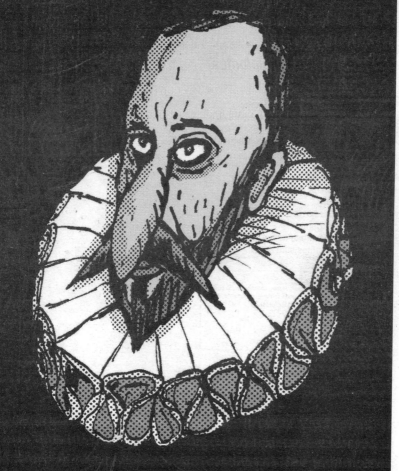

ERA NACIENTE

Documentales Ilustrados

Cervantes para Principiantes®

© de los textos, Rubén Mira
© de las ilustraciones, Sergio Langer
© de la presente edición, Era Naciente SRL.

Director de la serie: Juan Carlos Kreimer
Diseño: Jimena Durán Prieto

Para Principiantes®
es una colección de libros de
Era Naciente SRL
Fax: (5411) 4775-5018
Buenos Aires, Argentina
E-mail: kreimer@ciudad.com.ar
www.paraprincipiantes.com

Mira, Rubén
    Cervantes para principiantes / Rubén Mira; ilustrado por
Sergio Langer.– 1° ed. – Buenos Aires: Era Naciente, 2004.
192 p.; 20x14 cm. – (Para principiantes)

ISBN 987-555-025-6

1. Ensayo Argentino. I. Langer, Sergio, ilus. II. Título
CDD A864

La presente edición se terminó de imprimir
en los talleres de **Longseller**, Buenos Aires,
República Argentina, en diciembre de 2004.

"Este que veis aquí, de rostro aguileño, de cabello castaño, frente lisa y desembarazada, la boca pequeña, los dientes ni menudos ni crecidos, porque no tiene sino seis, es el rostro del autor de Don Quijote de la Mancha y otras obras que andan por ahí descarriadas."

Novelas Ejemplares - Prólogo

Un clásico es un texto al que la Institución asigna imperecederos méritos artísticos. Por eso, la serie de preconceptos que supone su lectura suele generar en el lector la misma actitud solemne que provoca la magnificencia de un monumento.

Un clásico también es una oportunidad para entender lo múltiple. Su lectura puede provocar nuevas asociaciones y establecer diálogos entre épocas, le permite al lector conocer más de sí mismo, y llevar la experiencia más allá del libro y la lectura, hacia la acción y el mundo.

Pocos clásicos justifican, como el *Quijote*, lecturas libres y desprejuiciadas. Con idéntico espíritu de libertad, Cervantes creó para nosotros uno de los más certeros modos de indagar la aventura humana: la novela. Una herencia que continúa vigente aún en el siglo XXI.

Cervantes nace en 1547. España, bajo el reinado de Carlos I y V, era el centro de Europa. Con la poesía de Garcilaso de la Vega, la renovación del teatro y de los géneros literarios ya había comenzado el período que se conoce como Siglo de Oro Español.

Como son muy escasos los datos biográficos certeros que se conocen de la infancia de Cervantes, los blancos suelen llenarse con sucesos extraídos de sus obras. Puede haber estudiado en el Colegio de los Jesuitas de Sevilla, cuyo elogio puso en boca de Cipión y Berganza, los perros protagonistas de su novela *El coloquio de los perros.*

Lo interesante es que los biógrafos, al combinar los pocos datos reales existentes con los textos de ficción, crean una biografía semejante a la obra cervantina, en donde la infancia del pequeño Miguel se parece a la de un pícaro en una novela picaresca.

Las novelas picarescas son narraciones en prosa de la vida de un antihéroe, un sobreviviente: el pícaro. Una serie de "picardías", transgresiones, robos menores, le dan un tinte ilegal pero inofensivo. Con la picaresca, el mundo del Renacimiento tardío entra en la literatura: su realismo, su humor popular, impulsaron el éxito del anónimo *El Lazarillo de Tormes*, verdadero best séller de la época.

EL MUNDO

Estamos en la última etapa del Renacimiento y ya se ha producido el desplazamiento de las leyes de Dios, que hegemonizaron la Edad Media, por las leyes de la naturaleza, con el hombre y la razón como centros. Esto trae numerosos avances científicos y transformaciones en la vida cotidiana. Después de los viajes que culminan en la conquista de América, el mundo adquiere una imagen unificada, con Europa como centro. Las redes comerciales y de circulación de riqueza mezclan culturas y propician aventuras.

LA POLÍTICA

Dos fenómenos complementarios, originados en la caída del derecho divino, centralizan la atención: la concentración del Estado moderno en torno al monarca, que inicia la forma de gobierno conocida como absolutismo monárquico y la crisis religiosa producida por la crítica al poder terrenal de la Iglesia, que motiva distintas interpretaciones de la fe. La expresión más destacada de esta crisis es la Reforma Protestante, que significó la separación de varios países europeos de la esfera del Vaticano, entre ellos, Alemania e Inglaterra.

LO SOCIAL

La vida en la Edad Media giraba alrededor del castillo; la vida moderna comienza a funcionar en torno de la ciudad. Las poblaciones campesinas ligadas a la renta de la tierra emigran a la ciudad en busca de oportunidades; las cortes reales las buscan para asentar la incipiente burocracia del reino centralizado. Esta mudanza significa también el comienzo de la cultura urbana en la vestimenta, la administración del tiempo, el modo de relación social, donde se cruza la nobleza con la pujante burguesía.

LAS LETRAS

El latín deja lugar a la formación de las lenguas romances y con ello surgen las literaturas regionales y nacionales. La invención de la imprenta termina con el modo de lectura medieval, oral y ritualizado, y da origen a la lectura solitaria y la tenencia de libros propios. A partir del siglo XII, la poesía épica y la epopeya, escritas en verso, derivan hacia formas en prosa.

> TODO ESTE PROCESO CONFLUYE EN LA PROGRESIVA APROPIACIÓN CREATIVA DE LOS MODELOS CLÁSICOS Y LA APARICIÓN DE NUEVAS FORMAS EXPRESIVAS.

EL ESCENARIO ESPAÑOL

ESPAÑA

Este país ibérico logra la unificación de su Estado bajo los Reyes Católicos y asimila la conmoción del descubrimiento de América. En este proceso se yuxtaponen elementos medievales y modernos. El ideal caballeresco inspira la formación de su nobleza durante la guerra, y la religión resulta fundamental en la unificación. Mientras que bajo el reinado de Carlos I y V España se transforma en el centro de Europa, con Felipe II lo hace en el modelo del absolutismo monárquico.

LO POLÍTICO

El tema religioso ocupa el centro de la escena. El Concilio de Trento (1545-1563) comienza la Contrarreforma. Su política: la justificación de los medios por los fines, un pleno ingreso en el pragmatismo sustentado por Maquiavelo en *El Príncipe*. Se crea la Inquisición, se inician las persecuciones a los humanistas renacentistas y se impulsan nuevas guerras religiosas. Bajo el reinado de Felipe II sobrevienen sucesivas bancarrotas que repercuten negativamente en las condiciones de vida del pueblo.

LO SOCIAL

Entre los nobles, el centro de atracción se desplaza de la guerra a la vida cortesana en Madrid o Sevilla. Esto trae una "deportización" de la vida de la nobleza, que reparte su tiempo libre entre la caza y la poesía. En los sectores populares, la vida se concentra en torno de los mercados y las plazas. Las ciudades reciben grandes migraciones desde el campo, atraídas por posibilidades de ascenso social. El pícaro es un personaje permanente, que pertenece ya a la fauna cotidiana.

LAS LETRAS

En las letras cultas, los modelos clásicos comienzan a abrirse a distintas influencias; con Garcilaso se imita el verso italiano, se escriben obras en poesía del género pastoril. Estas obras necesitan de la financiación de mecenas que surgen de la nobleza. Sólo el poema épico de Alonso de Ercilla, *La Araucana*, consigue, gracias a su exótico relato de la guerra contra los indios en Chile, atraer el interés de un público más amplio.

EN LO POPULAR, ÉXITOS COMO EL "LAZARILLO DE TORMES" MARCAN UN CAMINO.

EL SIGLO DE ORO

El concepto de Siglo de Oro es una invención de fines del siglo XVIII. Curiosa visión de espíritu cervantino, demuestra un deseo mítico de regreso a un pasado glorioso y al que, en busca de inspiración, recurrieron diversas corrientes de la literatura española. Desde el cervantismo filosófico fundamentalista de la Generación del '98, con autores como Unamuno, Azorín o Machado, hasta la cosmopolita reivindicación del gongorismo en la Generación del '27.

El Siglo de Oro, curiosamente, comienza a gestarse en la plenitud del poderío español, pero el grueso de su producción se desarrolla en paralelo a su decadencia. Es una época de tensiones sociales que cuestionan todas las bases de la representación, y se refleja, también, en la producción artística, con la obra de pintores como El Greco, Velázquez, Goya.

Hoy puede entenderse por Siglo de Oro un período de más de dos siglos, situado entre los siglos XVI y XVIII, que abarca tradiciones cultas y populares, desde la poesía de Garcilaso de la Vega y la prosa del autor anónimo de *El Lazarillo de Tormes* hasta el teatro de Tirso de Molina. Entre ellos pueden anotarse nombres como Lope de Vega, Quevedo, Góngora, Calderón de la Barca, Mateo Alemán y, por supuesto, Cervantes.

El nuevo público está ávido de diversión. Los teatros se arman en patios o mercados, utilizando nuevos modos de representación y trabajando con personajes identificables. Se escuchan romances y relatos en los retablos; en las tabernas pululan titiriteros.

En la alta cultura, el debate se centra en la retórica. En el Renacimiento, el modo de expresar una nueva conciencia es el retorno a los mundos clásico, griego y latino. Los grandes poetas tienen un público limitado entre nobles y eruditos, salvo honrosas excepciones...

En la Escuela de la Villa de Madrid se inculcaba la educación renacentista que concebía al hombre, su lenguaje y su pensamiento como centros del conocimiento. Un seguidor de Erasmo de Rotterdam, López de Hoyos, dirigía la escuela.

Amor a la vida, predominio de la razón y confianza en la naturaleza eran los pilares de filosofía de Erasmo, su ideal literario: la literatura debe educar y entretener al mismo tiempo.

El hombre del Renacimiento imita la forma clásica para oponerse al arte medieval e iniciar el surgimiento de la expresión subjetiva moderna. El primer testimonio de Cervantes escritor es una elegía en homenaje a la reina Isabel de Vallois. Una imitación del modelo clásico.

Pero todavía el arte y la educación siguen muy ligados a la religión. El erasmismo fue una filosofía religiosa y debe comprenderse dentro del clima reformista del siglo XVI.

La reacción contra el poder terrenal de la Iglesia fue un proceso transversal en Europa, que en algunos países se expresó en un cisma, y en España, en corrientes que propiciaban el regreso al ascetismo, la humildad y la fe interior.

Erasmo tuvo muchos simpatizantes en España, pero fue visto por los inquisidores como peligroso por sus coincidencias con las doctrinas protestantes. Bajo la influencia del Concilio de Trento, sus libros fueron prohibidos, como otros, considerados heréticos.

Resulta difícil estimar el impacto que el panorama de crecientes tensiones produjo en el joven Cervantes. A fines de 1556 decide probar suerte en el centro desde donde el Renacimiento se había expandido hacia toda Europa.

EN ITALIA HASTA UN CAMARERO POETA PUEDE ENCONTRAR UN MECENAS, Y LA CULTURA ESTÁ EN LA CALLE, EN CADA EDIFICIO O RUINA.

Atrás quedan los estudios inconclusos. Vienen tiempos de aventuras que tendrán una influencia fundamental en su obra y harán de su vida una experiencia digna de ser contada.

1571. LOS TURCOS SAQUEAN Y PIRATEAN EN EL MEDITERRÁNEO. TOMAN CHIPRE. UNA FLOTA ESPAÑOLA AL MANDO DE JUAN DE AUSTRIA LES SALE AL ENCUENTRO Y ARRINCONA LAS GALERAS ENEMIGAS EN EL GOLFO DE LEPANTO.

Muchos jóvenes españoles sueñan con ser caballeros. Por eso acuden a la nueva cruzada que mantendrá a España con un pie en la Edad Media y marcará el comienzo del fin de su poderío.

La importancia de la batalla es relativa para España. En la vida de Cervantes, marca el punto más alto del sueño de convertirse en un caballero español y el comienzo de su desvanecimiento.

Incluso hasta el reinado de Carlos V la guerra es un modo de adquirir gloria y posición. Después de Lepanto, Cervantes, como tantos otros, vaga sin reconocimiento por las posesiones de España en Italia en un vagabundeo donde se mezclan los libros y la vida.

Mientras, espera la carta que don Juan de Austria, comandante de la flota, le ha prometido. Cuando por fin la consigue, el destino ya le tiene preparadas otras sorpresas:

Tanto en el *Quijote* como en las *Novelas Ejemplares*, Cervantes suele ironizar sobre los saberes de los eruditos y los catedráticos. En cambio, retrata con respeto las peripecias de personajes que pagan un alto precio por intentar la aventura. Su propia experiencia siguió ese derrotero. Fue tomado preso y pasó cinco años cautivo de los turcos en Argel, planeando fugas e intentando...

REGRESO SIN GLORIA

1585. Cervantes acaba de publicar su primer libro, *La Galatea*, una historia pastoril. La pastoril despliega los tópicos del amor cortés: idealización de la mujer, hombres rechazados, lamentos poéticos y exaltación de la vida sencilla y natural.

El género pastoril estaba muy codificado y si bien en *La Galatea* hay algunas innovaciones temáticas y formales, básicamente Cervantes escribe un relato que combina verso y prosa siguiendo las modas de la época. La pastoril había sido, durante el Renacimiento, una de las bases de educación sentimental, con un componente sensual.

Pero a principios del siglo XVII su popularidad estaba en decadencia. Aunque Cervantes confiaba en este género para conseguir a la vez impacto de ventas y prestigio entre el público culto. El artificio de la novela pastoril, lo mismo que su recepción, podría compararse con las telenovelas: la incorporación de la pasión carnal al amor ideal en la literatura, con un proceso similar a la incorporación del sexo a las historias de amor del siglo XX.

Las pastoriles comparten temas y público con los libros de caballería. En éstos, el componente amoroso está subordinado a la aventura, mientras que en la pastoril aparece enmascarado por un idealismo típicamente caballeresco.

Su cautiverio en Argel ha sido el fin de sus esperanzas como soldado. A su regreso, encuentra una España en crisis y a su familia arruinada por el pago de su rescate. La repercusión de la novela es escasa y muy pronto se encuentra de nuevo en la pobreza.

Por entonces, no era un género cómico. Se diferenciaba del drama por su temática. La retórica de Aristóteles establecía una clara distinción: la tragedia debía representar asuntos de gente elevada, príncipes o reyes, y la comedia debía ocuparse de la gente del pueblo. Por lo tanto, la comedia irá incorporando nuevos personajes y situaciones ligados a lo popular.

Lope de Vega domina los escenarios. El dramaturgo más importante del Siglo de Oro es amigo del Rey y un verdadero integrante del salón de la fama del siglo XVII. Ejemplo de cómo se puede obtener prestigio y dinero escribiendo...

Cervantes envidia el éxito de Lope, pero reconoce la maravillosa destreza de la intriga, la fecundidad de la imaginación que inventa golpes de efecto y sorpresas repentinas, fórmulas que, más tarde, utiliza en las tramas de sus novelas.

Mientras la mirada teatral de Lope está dirigida hacia las transformaciones que vive el público, Cervantes sigue componiendo bajo la ideología del erasmismo con su doble mandato: entretener y educar. Lope escribe para divertir, por eso goza de una mayor libertad de inventiva. Los objetivos de Cervantes son morales.

La obra teatral está ligada al teatro de figuras morales de la Edad Media, en el que los personajes encarnan las virtudes y los pecados. Cuando aborda la historia, lo hace con un claro trasfondo moralizador. Ignora los logros que están estableciendo las bases del teatro moderno.

En Inglaterra, el surgimiento de una pujante burguesía produce una nivelación social sin precedentes. El teatro isabelino está dirigido a un público amplio, que incluye desde la alta nobleza hasta el naciente proletariado industrial analfabeto. Los textos juntan los lenguajes bajos y altos, los temas elevados y el humor popular.

EN "RICARDO III" RETRATÉ PERFECTAMENTE AL PRÍNCIPE DE MAQUIAVELO.

Shakespeare es contemporáneo de Cervantes. Cuando en 1605 el español publicó *El Quijote*, el inglés ya ha escrito *Ricardo II, Ricardo III, Enrique IV, Enrique V,* e inventado el Drama Histórico, género teatral que tematiza la historia reciente de Inglaterra y le permite explorar la ambigüedad de la política de su tiempo.

La caída del derecho divino justifica la Guerra de las Dos Rosas. La nobleza combate por un trono que ya no es otorgado por Dios sino que se puede obtener mediante intrigas palaciegas y conspiraciones. Esto implica el pasaje de los ideales medievales a una política pragmática donde el fin justifica los medios.

En *Enrique IV*, Shakespeare capta el sentido dramático de este pasaje; pero también, a través de uno de sus personajes más cómicos y satíricos –sir Falstaff, un señor de tabernas y de putas–, acaba con el mito del ideal caballeresco. Tarea que, en España, Cervantes aborda con *Don Quijote*, pero no en su teatro.

Sus obras de temática histórica relatan su cautiverio en Argel. Apunta a la toma de conciencia sobre la necesidad de que España realice acciones concretas para liberar a los cautivos. Algo que hoy podría considerarse propaganda política.

Cervantes no encuentra todavía el medio expresivo que le permita capitalizar su diversa experiencia vital, llena de fracasos y aventuras, ni su estilo introspectivo, demasiado reflexivo para los tiempos de la comedia.

Fracasado también como comediante, Cervantes planea emigrar a América. Es una tentación conjeturar su participación en las letras latinoamericanas si hubiese conseguido trasladarse a las colonias, pero sus gestiones no lo llevaron a buen puerto. Debe permanecer en España y ganarse la vida realizando requisas de pertrechos y alimentos para la Armada Invencible.

En los caminos ve el perfil de la España de Felipe II. Un rey rodeado de burocracia, encerrado en su palacio, planea, a costas de las penurias de su pueblo, una mega expedición naval contra su enemigo religioso-comercial: la Inglaterra protestante e incipientemente capitalista.

En julio de 1588, la Armada Invencible es destruida cerca de las costas de Inglaterra. En 1596, el pirata Francis Drake saquea la ciudad de Cádiz. El orgullo caballeresco de los españoles está herido y las penurias del recaudador son la cara opuesta de la gloria de un caballero andante.

En aquella España había un lugar donde podían cruzarse el hombre de letras, conocedor de los modelos clásicos, los géneros y la retórica, con la fauna más pintoresca: las tabernas del camino. Allí, Cervantes puede observar de cerca todo un universo de pícaros y sobrevivientes, escuchar sus historias.

El interés por crear formas literarias capaces de cautivar a un público amplio estaba en el aire. Mateo Alemán se adelanta con la vida de *Guzmán de Alfarache,* una picaresca a tono con la desilusión de un público que se interesa en vidas ordinarias de seres sin nobleza ni santidad, con los que puede identificarse.

Pero es una picaresca moralizante, con un antihéroe esquemático y previsible. Así que, cuando Cervantes distrae algunos dineros públicos y va a dar a la cárcel de Sevilla, todavía mantiene una preocupación...

Lope había dicho que, en Sevilla, cada año, entra tanto oro de América como para mantener dos veces a España. Su reverso está en la cárcel, el hampa holgazana y autora de mil estafas. Allí, tal vez, Cervantes recuerda una breve pieza teatral que ha visto en los caminos: un hidalgo pobre enloquecía leyendo libros de caballería...

ACÁ HAY OTRA BIOGRAFÍA DE CERVANTES.

ES DE UN TIEMPO PARALELO EN EL CUAL NUNCA ESCRIBIÓ "EL QUIJOTE"

Cervantes Saavedra, Miguel de (1547-1616). Escritor español perteneciente al Siglo de Oro. Autor de La Galatea, una historia del género pastoril, de poesías de imitación clásica, comedias teatrales y entremeses. Fue soldado y participó con honor en la batalla de Lepanto. Es uno de los autores que introdujo la obra de Boccaccio en España, con un conjunto de historias publicadas en 1613 bajo el nombre de Novelas ejemplares. Sostuvo polémicas con Lope de Vega y fue amigo personal de Francisco de Quevedo, quien tuvo algunos comentarios elogiosos para sus composiciones.

Corren los primeros tiempos del siglo XVII. Es posible que, mientras tanto, Shakespeare esté imaginando a Lear, su rey loco. En algún lugar de España, Cervantes escribe:

EN UN LUGAR DE LA MANCHA CUYO NOMBRE NO QUIERO ACORDARME NO HA MUCHO TIEMPO VIVÍA UN HIDALGO DE LOS DE LANZA DE ASTILLERO, ADAGA ANTIGUA, ROCÍN FLACO Y GALGO CORREDOR...

EL INGENIOSO HIDALGO

DON QUIJOTE DE LA MANCHA

PRIMERA PARTE

I. ALONSO QUIJANO

Donde el lector conoce la singular
locura de un singular hidalgo.

"...SE ENFRASCÓ TANTO EN SU LECTURA, QUE SE LE PASABAN LAS NOCHES LEYENDO Y ASÍ, DEL POCO DORMIR Y DEL MUCHO LEER SE LE SECÓ EL CEREBRO Y VINO A PERDER EL JUICIO..."

Alonso Quijano es un hidalgo, un grado bajo de nobleza. Pobre, cristiano, vive junto con su sobrina. Cervantes sólo cuenta lo imprescindible de su vida pasada; lo importante ocurre cuando Alonso Quijano ya tiene más de cincuenta años...

El tema central del *Quijote* es conocido: Alonso Quijano, de tanto leer libros de caballería, pierde la razón y decide vivir como un caballero andante. Con esta consigna, Cervantes escribe dos partes, una editada en 1605 y la otra en 1615. Don Quijote realiza tres salidas, dos en la primera y una en la segunda.

II. DON QUIJOTE
Donde se conoce qué objetivos morales persiguió Cervantes.

Don Quijote toma lo relatado en los libros como un programa a imitar: ajusta lo que vive a lo que ha leído. Comienza así una serie de contrastes entre un mundo fantástico-poético (la materia de los libros de caballería) y un mundo real-prosaico (la representación de España en el siglo XVII).

La fantasía de Don Quijote es transformadora, renombra y recrea. Tal vez el mejor ejemplo sea la transformación imaginaria de Aldonza Lorenzo, una rústica campesina, en la inalcanzable señora Dulcinea del Toboso.

Ignacio de Loyola, en la víspera de la fundación de la Compañía de Jesús, en 1534, pasó la noche velando ante el altar de la Virgen. Pero a principios de 1600, la caballería ya era sólo una leyenda libresca. Hasta los iletrados conocían sus mitos por romances y relatos.

Por eso, tanto los lectores de la época como algunos personajes del mundo real-prosaico de la novela pueden seguir el juego fantástico-poético del caballero, y disfrutar situaciones paródicas generadas por su excéntrica locura.

La parodia de los libros de caballería ya había comenzado con *Orlando furioso*, el poema cómico de Ludovico Ariosto. Pero esta convivencia de dos mundos opuestos es inédita y proporciona una consigna narrativa capaz de generar múltiples episodios.

En el capítulo IV, Don Quijote consigue liberar a un mucha-
cho que está siendo azotado por reclamar su paga, pero
luego lo obliga a ir, solo, con su patrón, quien faltará a su
juramento y le dará el doble de los azotes prometidos.

Después, confunde mercaderes con caballeros andantes y él sufre en su propio cuerpo.

¡LA IMPORTANCIA ESTÁ EN QUE SIN VERLA LO HABÉIS DE CONFESAR, DONDE NO, CONMIGO SOIS EN BATALLA, GENTE DESCOMUNAL Y SOBERBIA...

DON QUIJOTE ATACA, PERO SE ENREDA CON SU LANZA Y ROCINANTE CAE...

¡AAA!

¡GENTE COBARDE! NO POR CULPA MÍA SINO DE MI CABALLO, ESTOY AQUÍ TENDIDO!

Se ha insistido en que la primera salida de Don Quijote es autónoma y tiene un objetivo moral: desacreditar los mitos de la caballería y demostrar que la búsqueda de un bien supremo puede traer un mal peor.

Pero Cervantes encuentra un personaje capaz de explorar la dualidad del mundo que le toca vivir: la separación entre ideales y realidad. Por eso, agotado el objetivo moral, el interés en *Don Quijote* sigue vivo...

El capítulo VI, donde dos amigos de Don Quijote –el cura y el barbero– queman sus libros, puede leerse como el final moralizador de la primera salida. También como una transición entre ésta y la segunda:

Las razones por las que cura y barbero condenan muchos libros, permiten entender qué aspectos de los libros de caballería criticaba Cervantes: su falta de verdad y la poca calidad de la invención literaria, mientras que las razones por las que algunos son salvados ejemplifican la valoración de aspectos como la originalidad, la verosimilitud, el arte de la composición.

La quema de libros se transforma en un original ejercicio de crítica que expone la tradición en la que debe leerse *Don Quijote*.

El alma de Don Quijote es la fantasía, el ideal caballeresco, el amor idealizado y la vida sencilla de la pastoril. A ello se opone un cuerpo limitado por la realidad de su tiempo. El sistema de personajes principales de la novela está concebido para explorar esta polaridad.

III. SANCHO PANZA
De la importancia de la
creación de un singular dúo.

Don Quijote comienza su lucha contra sus principales ene-
migos, los magos y encantadores, que provienen de los libros de caballería. Ellos le permiten justificar cualquier realidad evidente con una mutación mágica. Pero en esta
lucha el caballero ya no está solo, tiene a su escudero, un
vecino pobre, labrador: Sancho Panza.

A partir de la inclusión de Sancho, cada cosa será observada desde dos puntos de vista. El capítulo XVII permite apreciar la duplicidad de perspectivas y la perfección de la composición escénica.

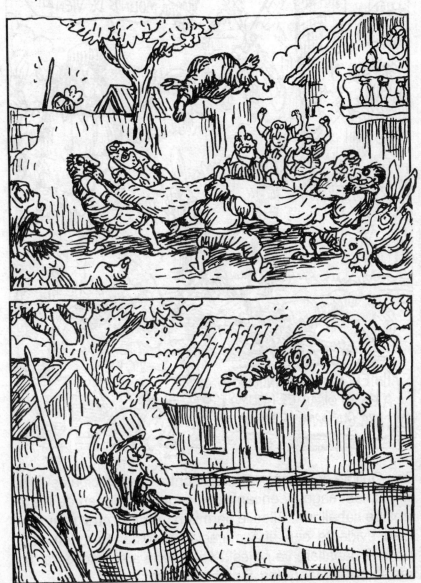

Cervantes explora con Don Quijote el sueño y lo universal; con Sancho, lo concreto y lo fragmentario. Lo interesante está en la convivencia de estos aspectos. Un alto en el camino lo muestra con enternecedora sencillez.

Siempre que se da una situación solemne, se desarrolla su versión bufa. De esta manera, luego del episodio pastoril de Grisóstomo y Marcela, que gira alrededor del amor platónico...

SUCEDIÓ, PUES, QUE A ROCINANTE LE VINO EL DESEO DE REFOCILARSE CON LAS SEÑORAS FACAS.

JAMÁS TAL CREÍ DE ROCINANTE, QUE LE TENÍA POR PERSONA CASTA Y TAN PACÍFICA COMO YO.

A TOMAR VENGANZA.

Don Quijote intenta realizar un bálsamo mágico curativo, el bálsamo de Fierebrás. Ambos toman el potaje. En apariencia, Don Quijote es loco; Sancho es tonto.

SEÑOR DON QUIJOTE, QUISIERA AQUELLA BEBIDA DEL FEO BLAS...

Pero lo interesante es que el loco tiene ráfagas de lucidez; el tonto, de inteligencia y taimada viveza. Lo elevado de Don Quijote desciende al ridículo; lo bajo de Sancho asciende a la fidelidad e incluso la valentía.

Suele entenderse que Don Quijote y Sancho son opuestos. Pero ambos están embarcados en el mismo juego. Don Quijote, el letrado, cree en los libros de caballería, y Sancho, analfabeto, cree y admira a Don Quijote. Por eso sigue junto a él, aun cuando se demuestre lo inconveniente del caso.

La relación está basada tanto en el afecto como en la irascible diferencia, a veces solemne, a veces malhumorada, y parece sostenerse en un aprendizaje, pero se destaca por la permeabilidad y la tolerancia.

DIOS ES PROVEEDOR DE TODAS LAS COSAS, NO NOS HA DE FALTAR...

MÁS BUENO ERA VUESTRA MERCED PARA PREDICADOR QUE PARA CABALLERO ANDANTE...

Entre Don Quijote y Sancho son usuales la alternancias de discursos elevados y bajos, los cruces entre sentencias y refranes, los equívocos de palabras. Sus intercambios, sobre los temas más variados, se aprecian como los momentos más cómicos y amables de la novela.

El amor de Don Quijote por Dulcinea y el de Sancho por su burro pueden pensarse los polos de una misma figura donde conviven lo alto y lo bajo, lo abstracto y lo concreto. Por eso, más que sus identidades individuales, lo original es la figura que juntos componen.

Cervantes concibió su dupla como un contraste grotesco, para que resulten emblemáticos e inseparables. Es el comienzo de las grandes parejas cómicas, desde Laurel y Hardy hasta el cura y el heavy metal en *El día de la bestia*, la película de Alex de la Iglesia.

IV. DON QUIJOTE

Donde trata el mito y la realidad
de orden profesada por
"El Caballero de la Triste Figura".

EN TIEMPOS DEL REY ARTURO FUE INSTITUÍDA LA ORDEN DE LOS CABALLEROS DE LA TABLA REDONDA, PASARON LOS AMORES DE LANZAROTE Y LA REINA GINEBRA, DESDE ENTONCES SE EXTENDIÓ POR MUCHAS PARTES DEL MUNDO Y FUE CONOCIDO POR SUS FECHOS EL VALIENTE AMADÍS DE GAULA.

No hace falta saber de libros de caballería para leer el *Quijote*; todo lo que se necesita, Don Quijote lo explica, y el lector aprende con él. Sus ejemplos predilectos están extraídos de **La muerte de Arturo**, de Thomas Malory, escrito en 1470, y **Amadís de Gaula**, del portugués Vasco Lobería, de fines del siglo XIV. Estos libros llevaron a la prosa la forma mítica de los héroes de la epopeya clásica.

Pero a su vez incorporaron la sustancia real de una nueva clase que tiene una relación problemática con su contexto social y comienza a interrogarse sobre su identidad y su relación con el mundo.

HAS DE SABER, AMIGO PANZA, QUE FUE COSTUMBRE DE LOS CABALLEROS ANTIGUOS HACER GOBERNADORES A SUS ESCUDEROS DE ÍNSULAS O REINOS QUE GANABAN, Y CON EL TIEMPO CONCEDER ALGÚN TÍTULO DE MARQUÉS O CONDE...

Esta promesa, que mantiene entusiasmado a Sancho, está en el origen histórico de la caballería. En la Edad Media, los señores feudales necesitaron una fuerza preparada para sus guerras. Convocaron a los serviles más destacados y los convirtieron en guerreros profesionales, pagándoles con tierras y títulos.

Así surgió una nobleza de segunda línea que no podía aspirar a los reinados o principados. De aquí provienen los dos rasgos básicos del caballero que los libros idealizaron: el caballero amante y el caballero valiente.

Para reflejar en el amor su ascenso social, los serviles debían de aspirar a las señoras de los príncipes, y ese acceso estaba negado por derecho de sangre. Por eso, el amor entre una señora y un caballero sólo podía adquirir formas rituales y generar situaciones de encuentros clandestinos y desencuentros dolorosos.

Es caballeresca la concepción de la "Señora" como un ser superior y la resignación ante su inaccesibilidad, el exhibicionismo y el masoquismo sentimental. En la caballería, se exaltan el amor por encima de la posesión legal y el valor de los sentimientos nobles por sobre la nobleza de origen.

En las situaciones en las que un príncipe obraba de manera instintiva, el caballero encontraba una ocasión de realizar un acto heroico, algo insólito y no natural. De allí provienen la protección del débil y la exaltación del valor.

Como la burguesía es la clase con la que llegará el fin del feudalismo, la casta de los caballeros está opuesta al progreso. Por eso, la liberalidad y el desinterés, la corrección deportiva, el desprecio por el dinero, que son antiburguesas.

"SIGLOS DICHOSOS AQUELLOS A QUIEN LOS ANTIGUOS PUSIERON EL NOMBRE DE DORADOS... TODO ERA PAZ ENTONCES, TODO AMISTAD, TODO CONCORDIA... ANDANDO MÁS LOS TIEMPOS CRECIÓ LA MALICIA"

Don Quijote vive en un tiempo en donde la artillería terminó con la caballería y los mitos de los libros están devaluados. Es, a la vez, la burla de los mitos y la continuación de los aspectos más problemáticos de la caballería.

...PARA RESTABLECER TIEMPOS DORADOS, DEFENDER DONCELLAS Y SOCORRER MENESTEROSOS SE INSTITUYÓ LA CABALLERÍA ANDANTE... DE ESA ORDEN SOY YO, HERMANOS...

Por su aspecto, Sancho lo rebautiza "El Caballero de la Triste Figura". Su sueño, en cambio, le aporta la asombrosa alegría para el combate, un ímpetu vital expansivo que arrastra a su escudero y a sus amigos a convertirse en piezas de su juego.

"Y ASÍ ME VOY POR ESTAS SOLEDADES Y DESPOBLADOS BUSCANDO LAS AVENTURAS, CON ÁNIMO DELIBERADO DE OFRECER MI BRAZO Y MI PERSONA A LA MÁS PELIGROSA QUE LA SUERTE ME DEPARE".

¿ES LA SEÑORA DULCINEA ALDONZA LORENZO?

ESA ES...

ES MOZA DE PELO EN EL PECHO...

El lector puede conocer a Don Quijote y a Sancho; nunca conocerá a Dulcinea en persona. En principio, Cervantes nos dice que Don Quijote lleva largo tiempo enamorado de Aldonza Lorenzo; después, que sólo la vio cuatro veces, y por último, que no la vio nunca.

Cervantes incurre en este tipo de imprecisiones. Como el suceso por el cual le es robado y restituido, sin explicación, el burro a Sancho; capítulos inconclusos, cambios de rumbo sobre la marcha.

¿ PIENSAS TÚ QUE LAS FILIS, SILVIAS Y DIANAS DE LOS LIBROS FUERON VERDADERAMENTE DAMAS DE CARNE Y HUESO DE AQUELLOS QUE LAS CELEBRAN Y LAS CELEBRARON?

No hay que apurarse a exhibir demandas actuales de rigurosidad y coherencia cuando se puede disfrutar de un artista que está creando ante nuestros ojos. El libro avanza con una escritura que se va haciendo junto con la lectura, muestra sus tentativas, sus errores y ratificaciones.

A lo largo de su novela, Cervantes va perfeccionando a Dulcinea hasta encontrar su núcleo. Como Beatriz para Dante, debe representar la unión entre lo bello y lo bueno, pero llevándola aún más allá.

¡OH DULCINEA DEL TOBOSO, DÍA DE MI NOCHE, NORTE DE MIS CAMINOS, ESTRELLA DE MI VENTURA, ASÍ EL CIELO...

Dulcinea es una abstracción, pura palabra y poesía, el centro de un cosmos de símiles con la naturaleza. La metafórica corresponde a la retórica renacentista y coincide con la teoría del amor platónico, que oponía el amor ideal –la exaltación de las virtudes del alma–, el amor sensual, encarnado en las pasiones de los cuerpos.

Don Quijote siente un amor religioso por Dulcinea. La inaccesibilidad de la dama reemplaza el destino y la voluntad divina como elemento dinámico en la narración: arroja al caballero al camino, en busca de los méritos que le abran el acceso a su dama, y al autoexilio, que es una reflexión sobre la experiencia individual en un mundo concreto.

...YO IMAGINO QUE TODO LO QUE DIGO ES ASÍ Y PÍNTOLA EN MI IMAGINACIÓN COMO LO DESEO.

TIENE RAZÓN Y YO SOY UN ASNO...

De esta conflictividad entre seres humanos, de este arrojarse al mundo, con esta salida que implica el deseo de un regreso, nació el nuevo género creado por Cervantes.

VI. LA AVENTURA

Donde prosigue el análisis
de la ambigüedad junto
con otros cruces que ocurren
en los caminos.

"POR EL CAMINO QUE LLEVABAN VENÍAN DOCE HOMBRES ENSARTADOS COMO CUENTAS EN UNA GRAN CADENA DE HIERRO, POR LOS CUELLOS, Y TODOS CON ESPOSAS EN LAS MANOS."

Las dos primeras salidas de Don Quijote transcurren en Argamasilla y El Toboso, y por el sur, en la Sierra Morena. Cervantes eligió La Mancha como escenario porque sus áridos paisajes y sus pobres tabernas se oponían a la geografía idealizada de los libros, con sus bosques y sus castillos.

El tratamiento del tiempo es sorprendente: en tiempo real, pasan días y meses, pero siempre es verano. Las historias de caballería transcurrían en un verano mítico. Cervantes hace un aprovechamiento cómico de la temporalidad y del calor permanente.

El lugar excluyente del espacio quijotesco es el camino. Estructuralmente, la novela evoluciona en dos líneas: la de los encuentros, en donde Don Quijote se ejercita en la batalla, y la de los cruces, en la que otros personajes introducen historias intercaladas.

Cervantes administra ambas líneas para darle variedad a la trama. Pero cruces y encuentros son motivados por una característica del personaje: su exterioridad. Don Quijote está afuera, en contacto con otros. En esta exterioridad se amplifica el juego abierto con la inclusión de Sancho.

En los libros de caballería había una división entre el bien y el mal, lo justo y lo injusto. El texto era una alegoría que reflejaba la certeza de Dios como centro del sistema de saber. Don Quijote se encuentra con que la verdad única de Dios se repartió en muchas verdades fragmentarias, a veces opuestas, que encarnan en los personajes.

En el capítulo XXII, la serie de equívocos por los cuales Don Quijote se entera de los crímenes cometidos por los galeotes y cada uno de estos realiza su defensa, coloca al lector frente a un desafío: comprender en lugar de juzgar. ¿Quién tiene razón? ¿De qué lado está el bien?

Este cambio puede ser comprendido dentro de la creación de los conceptos centrales de la modernidad. Con Descartes, la razón se ubica en el centro del conocimiento; con Galileo, la técnica domina la ciencia; con Maquiavelo, se separan los ideales de la política.

Con el desarrollo de un conocimiento cada vez más autónomo y especializado, el hombre perdió la visión de conjunto del mundo concreto de la vida, convirtiéndose en rehén de fuerzas que lo exceden y lo poseen.

El creador de la Edad Moderna fue también Cervantes. Porque mientras el mundo desaparece de la filosofía, la ciencia y la política, su creación lo rescata en un gran arte que explora ese mundo olvidado: la novela.

¿Cuál es la gran aventura que afronta el lector con *Don Quijote*? Conocer el mundo como un juego de ambigüedades, sin el amparo ni el peso de la verdad única.

"SOLOS QUEDARON, SANCHO EN PELOTA, Y TEMEROSO DE LA SANTA HERMANDAD, DON QUIJOTE MOHINÍSIMO DE VERSE TAN MAL PARADO POR LOS MISMOS A QUIÉN TANTO BIEN HABÍA HECHO"!

VII. CIDE HAMETE BENENGELI

Que trata de la continuidad del juego y la ambigüedad en la figura del narrador.

"DESDICHADAMENTE TENEMOS QUE DEJARLES EN ESA POSICIÓN PORQUE EL TEXTO ANÓNIMO TERMINA AQUÍ Y NO HE PODIDO ENCONTRAR NADA MÁS SOBRE DON QUIJOTE!"

Sabemos que Cervantes es el autor de *Don Quijote*, pero ¿quién cuenta? ¿Por qué lo hace de esta manera y no de otra? El *Quijote* está narrado en una caprichosa forma de la primera persona: el narrador transcriptor.

Hasta el capítulo VIII, Cervantes simula estar transcribiendo un texto tomado de un historiador anónimo. Pero en el capítulo XIX se propone como un investigador que tiene en un mercado la suerte de un hallazgo:

JA, JA, JA... ÉSTA ES LA HISTORIA DE DON QUIJOTE ESCRITA POR CIDE HAMETE BENENGELI, HISTORIADOR ARÁBIGO...

El punto de vista se desplaza. El yo narrador de Cervantes cuenta lo que lee y transcribe, hace intervenciones y comentarios, pero es Cide Hamete quien reseña las aventuras de Don Quijote. La complicación no termina ahí, porque como el texto estaba en árabe, también hay un traductor.

El pergamino encontrado y el narrador como transcriptor eran usuales en los libros de caballería, pero allí se los utilizaba para fundamentar una historia que debía, de acuerdo con la retórica, ser verdadera. Cervantes parodia este procedimiento y lo usa en sentido opuesto.

Nada es ni verdadero ni falso en el *Quijote*. El narrador es tan ambiguo como el mundo narrado; forma y contenido están ligados en una misma ley: la del juego múltiple que permite la ficción.

VIII. EL JUEGO

Donde se narra la forma que
adquiere la novela a partir
de la combinación de voces
narradoras y géneros distintos.

"EL ROTO DE LA MALA FIGURA LE APARTÓ UN POCO
DE SÍ Y PUESTAS LAS MANOS EN LOS HOMBROS DE
DON QUIJOTE, LE ESTUVO MIRANDO, NO MENOS
ADMIRADO DE VER LA FIGURA, TALLE Y LAS ARMAS
DE DON QUIJOTE QUE DON QUIJOTE DE VERLO A ÉL".

Después de la aventura de los galeotes, para escapar de la Santa Hermandad y por consejo de Sancho, Don Quijote se retira a la Sierra Morena. Aquí comienza a desplegarse un juego narrativo donde son muchos los que narran.

Como sucedió entre los capítulos XI y XV, con el episodio pastoril de Marcela y Grisóstomo, el narrador principal cede la voz narrativa. Estas historias amplifican la novela en un macro mundo: España y, más allá, Bélgica, Francia, Italia, Asia Menor, África, América Central y del Sur.

Cada historia responde a personajes concretos, con perfiles sociales y culturales distintos. Están atravesadas por géneros narrativos, como la pastoril, la novela a la italiana, el relato de aventuras.

"DE ESE MODO, NO ES CORDURA QUERER CURAR LA PASIÓN CUANDO LOS REMEDIOS SON MUERTE, MUDANZA Y LOCURA".

En las narraciones aparecen romances, elegías, sonetos, cartas. De esta pluralidad proviene la valoración de la novela como el género de géneros, aquel en donde pueden representarse todas las voces.

Las historias intercaladas tienen una finalidad en sí, pero, a su vez, gravitan sobre la trama. Por ejemplo: influido por la historia de Cardenio, Don Quijote decide imitar en la Sierra Morena una penitencia de amor hecha por Amadís. Mientras, envía a Sancho con una carta a Dulcinea.

Con la separación momentánea de Don Quijote y Sancho, Cervantes da a su novela un nuevo giro.

Sancho nunca llegará hasta Dulcinea y regresa a las sierras en rara compañía. Y todo sucederá en el mundo real-prosaico que se considera el comienzo del realismo en la literatura.

Comparado con clásicos como la *Ilíada* o la *Divina Comedia*, el *Quijote* es realista, pero su realismo es distinto al realismo de nuestro tiempo.

ME VESTIRÉ DE DONCELLA Y TÚ DE ESCUDERO Y LE PEDIRÉ DESFALLECER UN AGRAVIO Y DESTA MANERA LE LLEVARÉ A SU LUGAR...

Comienza a desarrollarse la historia de un complot. El plan del cura consiste en entrar en la locura para rescatar al loco. Se lleva a cabo, pero de otra manera, porque en el camino se cruzan con Cardenio y con una joven vestida de hombre –Dorotea–, que cuenta su propia historia. Ella será, en definitiva, quien actuará de señuelo.

El plan responde a la propia lógica del libro. El mundo real-prosaico propuesto por Cervantes no es, como en el realismo, la imitación de la realidad, sino parte de un juego que construye sus propias reglas.

El nuevo género mezcla la herencia de la epopeya clásica con la narración de entretenimientos, la picaresca y la comedia teatral. Pero las reglas retóricas de cada género están rotas.

A partir del capítulo XXXII, la acción regresa a la venta donde fue manteado Sancho; Don Quijote vuelve a cruzarse con el niño azotado del capítulo IV, quien le cuenta el desgraciado final de su acto de justicia. Don Quijote y Sancho recuerdan sucesos vividos mientras los relatos se multiplican:

Esta actitud de recuperación y cierre de líneas, hasta entonces inédita, aporta una unidad envolvente íntimamente ligada a la novela. El género tiene sus propias reglas y estas reglas son autónomas respecto de las leyes de lo real.

Cervantes llega a reunir en la taberna a más de treinta y cinco personajes interrelacionados. El desenlace proviene del principio de justicia poética de la comedia, por el cual el bien y el amor se restituyen al final. Pero el efecto está amplificado por la libertad que le confiere a su repertorio de sorpresas.

La libertad del juego está en el origen de la novela. Puede pensarse a partir de la idea de colage: el material son los distintos géneros literarios de una época, y el resultado, una alegría voluptuosa de combinación de materiales que, al armonizarse, producen nuevos sentidos.

"Y LUEGO CREYÓ QUE TODAS AQUELLAS FIGURAS ERAN FANTASMAS DE AQUEL ENCANTADO CASTILLO Y QUE YA ESTABA ENCANTADO PUES NO SE PODÍA DEFENDER, TODO COMO HABÍA PENSADO QUE SUCEDERÍA EL CURA"

Ahora sabemos que todo relato es una ficción, incluso la historia. Pero no toda ficción es un juego. Stern, Voltaire, Diderot continuaron desatando las ataduras de la rigurosidad. Ellos entendieron la autonomía de las leyes de la novela como una oportunidad vital. Su herencia le pertenece por completo a los lectores con capacidad de jugar.

Del juego proviene la contradictoria sensación de soledad y compañía que provoca el final de la primera parte. Don Quijote y Sancho fueron buenos compañeros de juego. Ahora se van, y el lector puede quedarse con su ausencia, recreando el juego en la memoria.

IX. **LA NOVELA**
Donde se concluye la
valoración de la invención
del nuevo género.

¿ES POSIBLE, SEÑOR HIDALGO, QUE LA LECTURA DE LOS LIBROS DE CABALLERÍA LE HAYAN VUELTO EL JUICIO DE MODO QUE VENGA A CREER COSAS TAN LEJOS DE LA VERDAD?

SI ES MENTIRA TAMBIÉN LO DEBE SER QUE HUBO GUERRA DE TROYA, REY ARTURO, Y VALIENTES CABALLEROS ESPAÑOLES...

Según Hegel, comprender con Descartes al ser pensante como centro de todo implica una soledad heroica. Comprender el mundo como ambigüedad, poseer lo que Milan Kundera llama sabiduría de lo incierto, es igualmente heroico.

Cervantes concreta en el *Quijote* su doble precepto de entretener y educar. Pero ¿qué tiene para enseñarnos su gran novela? Esta es una pregunta abierta que resiste las interpretaciones unívocas. El *Quijote* es un interrogante, no una posición moral.

¿ADÓNDE VA, SEÑOR DON QUIJOTE?

EN LA LIBERTAD DE AQUELLA SEÑORA QUE VA CAUTIVA.

Existe en los poderosos un deseo de juzgar antes que de comprender. Los hombres del siglo XXI ya saben adónde llevan fundamentalistas y mesiánicos. La novela, tal como Cervantes la creó, es irreductible a dogmas o autoritarismos.

Comprender la diversidad no es una capacidad usual; por eso, la sabiduría de la novela es difícil de aceptar y comprender. Pero la recompensa puede ser grande, si se enfrenta la intemperie con espíritu quijotesco.

El *Quijote* de 1605 abre la posibilidad de una segunda parte y una tercera salida del caballero andante. Esto recién se concretará diez años después. Mientras tanto, Cervantes alcanza la fama, pero no la tranquilidad.

El éxito del *Quijote* es inmediato. Se realizan varias ediciones en España y traducciones en toda Europa. Pero las ventas no generan dinero suficiente como para solventar los gastos de juicios pendientes y la vida descontrolada de una hija natural, nacida de una aventura con una actriz.

Escribe algunos entremeses y un poema titulado *Viaje del Parnaso*. Además, ha acumulado una serie de relatos con los que confía poder aliviar su economía.

"SOY EL PRIMERO QUE HE NOVELADO EN LA LENGUA CASTELLANA, QUE LAS MUCHAS NOVELAS QUE EN ELLA ANDAN, SON TRADUCIDAS DE LENGUAS EXTRANJERAS..."

Cervantes no llamó novela al *Quijote* sino libro, porque la palabra no significaba entonces lo que significa hoy. *Novella* en italiano, o *nouvelle* en francés, era un relato breve, cercano al cuento. El italiano Boccaccio había establecido un modelo, que se había transformado en una fórmula generativa, similar a las que se utilizan en los guiones de las películas de entretenimiento.

Cervantes lo practica en las historias intercaladas del *Quijote*, como la de "El curioso impertinente" (capítulos XXXIII a XXXV). En este nuevo conjunto introduce temas españoles y realiza una tarea digna de su temperamento de inventor.

El nombre de "ejemplares" apunta a la finalidad didáctica de la literatura. En muchos de esos relatos, Cervantes se apega fielmente a este precepto moral. En otros, se acerca a los logros del *Quijote*. Las *Novelas ejemplares* son doce relatos escritos en distintas épocas y publicados en 1613.

Leídas como conjunto, conforman un mapa de los tipos, tópicos y cuadros sociales de la España del siglo XVII. La obra más burguesa y urbana de Cervantes.

Sin respetar el orden del libro ni las conjeturas sobre las fechas en que fueron escritas, ofrecen un panorama de la evolución de Cervantes como narrador. Comienza imitando el modelo de Boccaccio, aunque con temática española.

Pertenecen a este grupo *El amante liberal*, *La señora Cornelia*, *La fuerza de la sangre*, *Las dos doncellas*, *La ilustre fregona*, *La española inglesa* y *La Gitanilla*. Las tramas plantean artificiosos viajes, raptos, reconocimientos y reestablecimiento del orden. Un repertorio similar a la comedia, que se nutría en novelas a la italiana.

Tal vez la más lograda de este conjunto sea *La Gitanilla*: un joven debe vivir entre los gitanos para conseguir el amor de Preciosa. La trama sirve al despliegue del cuadro de costumbres y el encanto del exotismo, que avanza hacia una mayor hispanización del modelo.

Cervantes evoluciona hacia nuevas formas. En *El celoso extremeño*, *Rinconete* y *Cortadillo* y *El licenciado Vidrieras* el atractivo es la observación de individuos.

El celoso extremeño manifiesta la influencia de *Las mil y Una Noches* en la obra de Cervantes. La novela espeja la consigna de *El curioso impertinente*. Si en ésta un joven quiere probar la virtud de su mujer obligando a su mejor amigo a cortejarla, en aquella se trata de un viejo que quiere preservar a su mujer como a un tesoro.

Rinconete y *Cortadillo* relata las primeras peripecias de dos adolescentes que, para escapar de la pobreza, deciden dedicarse a la delincuencia. Estamos aquí en el terreno de la picaresca. La influencia del modelo italiano, diluida.

La novela narra el ingreso de los dos pícaros al hampa de Sevilla, a la que Cervantes conocía de primera mano. Una jerarquía de ladrones que profesan el delito como una religión ofrece un particular modo de ejercer la sátira.

Pocas páginas pueden resultar más contemporáneas que este retrato de ladrones profesionales que funcionan en una burocracia similar a la del Estado absolutista. Pero la sátira no adquiere el tono grave, moralizador, de Mateo Alemán, o de Quevedo en *Los sueños*.

Está atravesada por una alegría que surge de la complejidad de los caracteres observados de manera directa, sin reducirlos desde una posición de superioridad intelectual o moral.

En *El licenciado Vidrieras*, Cervantes avanza decidida-
mente en la observación de un individuo particular, un loco, otro loco.

... DABA TERRIBLES VOCES SUPLICANDO QUE NO
SE LE ACERCASEN, PORQUE LO QUEBRARÍAN;
QUE VERDADERAMENTE ERA DE VIDRIO,
DE PIES A CABEZA ...

La locura de Vidrieras tiene su otra cara en su sorprendente ingenio. Opina razonablemente sobre todo. Pero, a diferencia de Don Quijote, Vidrieras es un personaje concebido en una sola dirección, con el propósito de explorar la
sátira social.

La sátira opera en dos niveles. En un nivel, Vidrieras, siguiendo tópicos clásicos del repertorio satírico, recorre las profesiones de la época realizando sentencias divertidas que muestran la contradicción entre el deber social y la realidad de los distintos oficios.

En otro nivel, Vidrieras es la metáfora de la transparencia; deja ver a través de él todo un contexto social que queda expuesto. Un fondo que parte de las calles y los mercados, y que cuando Vidrieras se transforma en una celebridad, llega hasta la corte del Rey.

Gente que tendría que dedicarse a causas más importantes se burla del loco, para luego abandonarlo al olvido cuando recupera la razón.

La delicada percepción de la oposición entre la fragilidad del individuo y la crueldad del mundo dan a la novela sus momentos más intensos. Sin embargo, Cervantes se mantiene apegado a la curiosidad de la fábula y al seguimiento exterior de su criatura.

El mayor desarrollo formal se encuentra en dos novelas que forman un conjunto narrativo. En *El casamiento engañoso*, un humilde soldado trata de encontrar un buen partido para casarse y lo consigue. Pero la gran señora resulta ser una sirvienta que escapa robándole sus bienes y dejándole una enfermedad venérea.

Campuzano agoniza en la empobrecida Sevilla, en el Hospital de la Resurrección. En su delirio, el alférez sueña, o cree soñar, con que los dos perros que están junto a su cama adquieren el don del habla y cuentan su vida.

En *El coloquio de los perros*, Cipión y Berganza aprovechan el don del habla para contarse sus vidas. Asistimos al aparente relato de una picaresca perruna: los perros pasan de amo en amo, y todos ellos parecen una cosa, pero resultan otra.

El tema de lo aparente y lo real fue central en el Barroco. Está en relación con una temática religiosa y política: la de lo alto y lo bajo. En una realidad en la que los perros hablan y los hombres se comportan como animales, ¿qué es lo superior y qué lo inferior? ¿Cuál es la forma verdadera de las cosas?

El coloquio de los perros tematiza la crisis económica y moral de España. Elementos cultos y religiosos se mezclan con otros populares, como la brujería y los hechizos, sucesos imaginarios con reales. Su forma ya no responde a un modelo, sino a las necesidades expresivas del tema tratado.

Cervantes superpone una fábula a una narración picaresca, y en el centro introduce un enigma. ¿En qué momento se reestablecerán las jerarquías de lo alto y de lo bajo? ¿Será con la llegada del Juicio Final? ¿Será cuando los hombres retomen la ruta de la fe?

La búsqueda de la forma verdadera depende de una revelación. Como la que tiene Campuzano, quien después de escuchar a Cipión y a Berganza se cura. Si en el *Quijote* las palabras pueden enloquecer, en el *Casamiento-coloquio* pueden curar. Por eso Campuzano deja de ser soldado. Buscará entretener y educar...

Con sus superposiciones de géneros y recursos, con su encajonamiento de historias, en *El casamiento-coloquio* la novela intuye su forma verdadera, la que la lleva hacia el interior del individuo y hacia el mundo social de su tiempo.

Las *Novelas ejemplares* le hubiesen asegurado a Cervantes un lugar de privilegio en el Siglo de Oro. Pero más allá de los elogios de Quevedo y de las objeciones de Lope de Vega, otros escritores estaban interesados por cierta obra suya.

Cervantes sufre el impacto de la publicación, en 1613, de una segunda parte apócrifa de su obra escrita por un desconocido, llamado Avellaneda. Está escribiendo la obra que, cree, lo consagrará como un autor culto: *Los trabajos de Persiles* y *Segismunda*...

... Es un hombre enfermo, la pobreza continúa. Sin embargo, recoge el desafío. En 1615 se publica la segunda parte de *Don Quijote,* **por Miguel de Cervantes.**

EL INGENIOSO HIDALGO DON QUIJOTE DE LA MANCHA

SEGUNDA PARTE

I. EL LIBRO
Donde se trata el juego de reflejos del mundo del Barroco.

...YA ANDA EN LIBROS LA HISTORIA DE V.M, CON COSAS QUE PASAMOS NOSOTROS A SOLAS, QUE ME HICE CRUCES DE ESPANTADO COMO LAS PUDO SABER EL HISTORIADOR QUE LAS ESCRIBIÓ...

DEBE SER ALGÚN SABIO ENCANTADOR...

La consigna de la segunda parte de *Don Quijote* es sorprendente: la primera parte ya fue publicada, el caballero y su escudero son famosos, pero no gracias a las armas, sino al libro.

Los personajes de la segunda parte leyeron la primera, o saben que fueron parte de ella. Así se redondea el juego abierto en la primera parte, donde Cervantes aparece como amigo del cura, autor de *La Galatea* y de la novela incluida, *El curioso impertinente*.

En la segunda parte, Don Quijote se encontrará también con los rastros de la segunda parte apócrifa de Avellaneda. Conocerá la existencia de un Quijote falso y, en una imprenta, leerá las pruebas de esa obra. El libro funciona dentro del libro, la novela genera otra novela.

Este juego de inclusiones hoy resulta onírico y asombroso, pero era representativo de la actitud barroca. Shakespeare incluye en *Hamlet* otro escenario donde se representa una tragedia, que es la de Hamlet. Al ver el cuadro *Las Meninas*, de Velázquez, Chatubrian exclamó:

Frente al *Quijote*, el lector puede preguntar: ¿dónde está el libro? El poder del libro es uno de sus temas. En la primera parte, produce la locura de Don Quijote; en la segunda, es una autorreferencia que demarca los límites representativos de la ficción.

Algo análogo sucede con la lectura. Sancho y Don Quijote reflexionan sobre sus propias aventuras y actitudes, se polemiza sobre literatura, el libro dialoga con los personajes y con otros libros. De esta manera, la novela educa al lector, lo hace más consciente de los detalles de lo que está leyendo y de la permeabilidad entre los libros y la vida.

Si en el *Quijote* puede leerse la transparencia del arte de escribir novelas, también se adquiere el aprendizaje de cómo leerlas. La lectura amplía la percepción de la subjetividad e interactúa creativamente con la experiencia de los personajes y del lector.

II. LA AMISTAD
Sobre la evolución del singular
dúo de Don Quijote y Sancho.

¿NO VE VUESTRA MERCED QUE ALLÍ VIENE DULCINEA, RESPLANDECIENTE COMO EL MISMO SOL?

YO NO VEO SINO TRES LABRADORAS SOBRE TRES BORRICOS...

La segunda parte y tercera salida de Don Quijote transcurre en El Toboso, los caminos que llevan a Zaragoza y en la ciudad de Barcelona. En ella, Sancho tiene un mayor protagonismo, alcanzando una dimensión similar a la de Don Quijote.

Sancho es fundamental en el impulso de la nueva salida y su mundo aparece ampliado, con escenas en su casa y con su mujer, Teresa Panza. El conocimiento de la primera parte lo lleva a tener una mayor conciencia sí mismo y de las reglas del juego quijotesco.

REINA Y PRINCESA, RECIBE AL CAUTIVO CABALLERO VUESTRO... COLUMNA Y SUSTENTO DE LA ANDANTE CABALLERÍA...

APÁRTENSE DEL CAMINO, QUE VAMOS DE PRISA.

El encantamiento de Dulcinea inventado por Sancho en el capítulo X es uno de los núcleos narrativos de la segunda parte e inaugura una serie de hechos en los que distintos personajes "quijotizan" la realidad.

El episodio fue interpretado por el novelista Vladimir Nabokov como el momento de mayor crueldad de la novela, culminación de las sucesivas palizas y humillaciones que sufre Don Quijote. Sin embargo, puede interpretarse como la afirmación contundente el pacto de amistad entre Sancho y Don Quijote.

Sancho aprendió las reglas del juego, y ahora Don Quijote tiene a su lado un jugador que está a su altura.

En la segunda parte puede apreciarse que lo que parecía una relación vertical evolucionó en un aprendizaje mutuo. Mientras Don Quijote va de la locura a la razón "pancesca", Sancho va del realismo hacia el sueño quijotesco.

A diferencia de los grandes personajes de Shakespeare, que sólo dialogan consigo mismos y sólo cambian cuando, casualmente, se escuchan monologar, Don Quijote y Sancho aprendieron escuchándose el uno al otro, lo que se expresa tanto en las acciones como en los discursos:

> VUESTRA MERCED ME PAGUE SALARIO, POCO O MUCHO, QUE SOBRE UN HUEVO PONE GALLINA Y MUCHOS POCOS HACEN MUCHO...

> ...SI AL PALOMAR NO LE FALTA SEBO NO LE HAN DE FALTAR PALOMAS...

Ahora comparten no sólo las reglas del juego sino su finalidad: construir un espacio alternativo a la economía de lo real, que los mantenga aferrados a la vida y la aventura.

Este juego es expansivo, irradia voluntad y entusiasmo de jugar. En la primera parte, el cura y el barbero organizan toda una comedia caballeresca. En la segunda, Don Quijote enfrenta a otro caballero, el de los Espejos.

Estos amigos también conocen las reglas del juego, pero no comparten su finalidad. Tratan de entrar en el juego de Don Quijote para sacarlo de él, de volver las reglas en su contra, para obligarlo a dejar los caminos.

Pero, por ahora, la suerte está del lado de Don Quijote; el Caballero de los Espejos es casualmente derrotado y...

Si Shakespeare con sus monólogos descubrió los fantasmas de la subjetividad moderna, Cervantes desplegó en el
diálogo su otra cara. La amistad entre Sancho y Don Quijote es la adopción de un código en común, el juego, y la
afirmación de la diferencia como espacio posible de aprendizaje y crecimiento. Más allá de victorias y derrotas, conmueve la lealtad que los mantiene, juntos, en el camino.

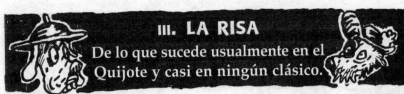

III. LA RISA
De lo que sucede usualmente en el
Quijote y casi en ningún clásico.

CUENTA LA HISTORIA QUE SANCHO ESTABA COMPRANDO UNOS REQUESONES Y ACORDÓ A ECHARLOS EN LA CELADA DE SU SEÑOR...

¿QUÉ SERÁ ESTO, SANCHO, QUE SE ME ABLANDAN LOS CASCOS, O SE ME DERRITEN LOS SESOS?

Suele ocurrir que las críticas del *Quijote* resultan serias e inteligentes, pero sus apreciaciones no coinciden con la sensación que deja la lectura de la obra. Ello se debe principalmente a la poca importancia que se le da a la risa como material del libro. *Don Quijote* es un clásico cómico. Fue escrito para provocar risa y así fue leído en su época.

La retórica se ocupa poco de la teoría de la risa en la prosa. Cervantes encuentra en lo cómico un espacio de libertad. Lo despliega tanto en las situaciones como en las palabras.

SON REQUESONES LOS QUE AQUÍ HAS PUESTO, TRAIDOR, BERGANTE Y MAL MIRADO ESCUDERO.

¿YO HABRÍA DE ENSUCIAR EL YELMO DE VUESA MERCED? TAMBIÉN YO DEBO TENER ENCANTADORES QUE ME PERSIGUEN...

En el Renacimiento creían que la risa era provocada por alguna forma de fealdad. "Triste figura" era una expresión utilizada para referirse a personajes poco atractivos. No hacía referencia a la tristeza como emoción, sino al aspecto ridículo.

El novelista Tomas Mann soñó a Don Quijote con los rasgos de Zarathustra, el personaje de Nietzsche. Esta condensación puede resultar iluminadora incluso en lo que se refiere al aspecto de ambos personajes, plantados en el camino, perseverando en su verdad. Los dos provocan un simpático efecto de sorpresa y maravilla.

En la época de Cervantes ya se sabía que de lo solemne a lo ridículo había sólo un paso. Este concepto de comicidad está presente en todo el *Quijote* y se explora en las situaciones y en los discursos.

En las situaciones narrativas, cuanto más serio es el papel que se asigna Don Quijote, más cómico resulta. En los discursos se utilizan recursos como la parodia de libros y poemas, la ironía, la creación de términos y el contraste entre aspectos cultos y populares.

¡LES DARÉ A CONOCER QUIÉN ES DON QUIJOTE A DESPECHO DE LOS ENCANTADORES!

...PERO EL GENEROSO LEÓN, NO HACIENDO CASO DE BRAVATAS ENSEÑÓ SUS PARTES TRASERAS A DON QUIJOTE, Y CON GRAN FLEMA Y REMANSO, SE VOLVIÓ A ECHAR EN LA JAULA...

En la época de Cervantes se consideraba que la risa era un remedio terapéutico contra una de las formas de la locura: la melancolía. Y no asignaban a lo cómico, como sucede hoy, ninguna inferioridad genérica respecto de las obras serias.

La novela nació ligada a la risa, con un sentido desmitificador y de oposición a la retórica, la solemnidad de los discursos elevados y las afectaciones académicas.

Las objeciones sobre la crueldad que se ejerce sobre Don Quijote menosprecian el espíritu festivo que hay en la broma y la pendencia, que hace a la participación y el reconocimiento dentro de las reglas, del juego y de la risa. Ese espíritu puede apreciarse en los personajes secundarios de la novela, desde el ventero que arma caballero a Don Quijote hasta el pícaro Ginés de Pasamonte.

La comicidad de Don Quijote tiene relación con la comicidad medieval, la de los cómicos ambulantes y los mercados. Reclama también una distancia, un reírse de. Pero, a la vez, solicita una presencia, un estar ahí, ahora, en complicidad con los protagonistas.

Tal vez por eso, en el *Quijote*, la risa resulte tan vital, y a carcajadas. Aun cuando irrumpe en la soledad de la lectura, guarda una íntima vecindad con la celebración colectiva.

IV. LA REALIDAD

De los alcances de la novela
para interrogar los aspectos
sociales de su tiempo.

El plan de la obra de Cervantes implicaba abordar la fantasía, y también la realidad. De allí provienen la percepción vital de la naturaleza, la captación de momentos sencillos de lo cotidiano. Y, además, la variedad de cuadros sociales y personajes que se mueven por detrás de Don Quijote y Sancho.

Pero el tratamiento de lo social nunca es explícito: procede por contrastes y por superposiciones de capas, una composición paradójica que se va profundizando. El Barroco es una época de contraluces y espejismos que Cervantes incorpora a su novela.

Pueden compararse los episodios de Marcela y Grisóstomo (capítulos XI al XV de la primera parte), con el de las bodas de Camacho (capítulos XIX al XXII de la segunda) y apreciar la evolución hacia una parodia mordaz de la pastoril, el juego de transformaciones y disfraces entre lo natural y lo aparente, la superposición de referencias cultas y populares.

En la España de la Inquisición, Cervantes convivía con un espacio de censura. Era un cristiano militante, pero también un artista. Estaba tironeado entre su programa ideológico y la verdad de sus personajes. Utilizó máscaras para expresar sus opiniones.

El tratamiento de lo social representado en el *Quijote* puede ejemplificarse a partir del concepto de figura y fondo. Lo que está en foco son los personajes principales; por detrás, desfila la época. Y, por momentos, el fondo se transforma en figura.

El recurso más usual para realizar este pasaje es la ironía: comentarios al pasar, deslices, palabras que vuelven con otra verdad. Pero estas verdades, ¿corresponden a Cervantes o a sus personajes? Es imposible precisar las verdaderas opiniones del escritor.

Cervantes parece estar en todos lados, pero afirmando opiniones opuestas sobre los temas de su tiempo. El efecto global es problemático, no dogmático. Tal vez por eso se destacan los enfoques liberales y tolerantes de temas como el amor o la religión.

Lo que Cervantes tiene para decir sobre su tiempo y el nuestro puede buscarse en el destino de sus personajes. Su aporte principal consiste en explorar la relación compleja entre un contexto y la formación de la psicológica de los individuos en el transcurrir de la experiencia histórica.

La novela como género hereda este territorio de indagación. Pero pocas novelas lo captan con la misma gracia y liviandad con que lo hace el *Quijote*.

v. EL SUEÑO
Donde se trata la relación
entre el soñar y el vivir.

¡BIEN SEA VENIDO LA FLOR Y LA NATA DE LOS CABALLEROS ANDANTES!

...Y AQUEL FUE EL PRIMER DÍA QUE CREYÓ SER CABALLERO ANDANTE VERDADERO Y NO FANTÁSTICO, VIÉNDOSE TRATAR DEL MISMO MODO QUE HABÍA LEÍDO SE TRATABA A LOS CABALLEROS EN SIGLOS PASADOS...

En el capítulo XXX comienza la aventura central de la segunda parte. Don Quijote se encuentra con un duque y una duquesa. Los nobles leyeron la primera parte del libro y, para divertirse, fabrican situaciones semejantes al sueño de Don Quijote.

Los duques también conocen las reglas del juego quijotesco y facilitan su flujo. Pero ellos son figuras que se burlan de Don Quijote desde una posición de superioridad.

SOY MERLIN Y A TI TE DIGO, DON QUIJOTE, QUE PARA RECOBRAR LA SIN PAR DULCINEA SU ESTADO PRIMO, ES MENESTER QUE SANCHO SE DÉ TRES MIL AZOTES Y TRESCIENTOS EN SUS VALIENTES POSADERAS...

Duque y duquesa representan el estado de la nobleza española, lo que quedó de su sueño heroico. Dedicados a los pasatiempos cortesanos, lejos de las grandes causas, invierten su tiempo y su riqueza en la burla de los mismos ideales que deberían sustentar.

Contrasta la actitud de los duques con la preocupación de Don Quijote por el buen gobierno, la planificación de las burlas con los consejos que el caballero inculca a su escudero cuando éste parte para cumplir, finalmente, su sueño de ser gobernador.

Siguiendo los consejos de su señor y su natural inteligencia, el gobierno de Sancho en la Isla Barataria no tiene ninguna entonación del materialismo con el que se asocia al personaje. Sancho está a la altura de las expectativas del caballero.

ÉL ORDENA COSAS TAN BUENAS QUE HASTA HOY SE GUARDAN EN AQUEL LUGAR "LAS CONSTITUCIONES DEL GRAN GOBERNADOR SANCHO PANZA"

En medio de los espejismos del Barroco, habitar el sueño comienza a ser una tarea demasiado real para Sancho. Porque el sueño tiene componentes de la pesadilla concreta de lo real.

Mientras, el alma de Don Quijote debería estar a sus anchas en el sueño que los duques fabrican a su medida. Pero lo que aparece es la conciencia del cuerpo y sus límites.

En el castillo del duque, Don Quijote vive la paradoja más importante del Barroco: lo aparente es lo real, lo real es apariencia. El caballero, que pudo sobrellevar todos los combates contra un mundo que se oponía a sus sueños, no se repondrá a lo paradójico. Comienza a sentir cansancio.

...COSTOSA LE SALIERA A DON QUIJOTE AQUELLA AVENTURA, QUE LE COSTÓ CINCO DÍAS DE ENCERRAMIENTO Y CAMA...

La primera parte del *Quijote* puede leerse como la construcción de un sueño; la segunda, como un largo despertar. Y las dos en conjunto, como un despliegue de la relación entre el sueño y la realidad.

El sueño de Don Quijote y Sancho es como el simulacro del caballo Clavideños, una de las bromas que los duques imaginan: en lugar de llevarlos hacia el reino lejano donde enfrentarán al gigante Malambruno, los mantiene aferrados a una realidad que no deja de reírse.

YA DEBEMOS LLEGAR A LA REGIÓN DEL AIRE...

EN EL LUGAR DEL FUEGO... MI BARBA SE HA CHAMUSCADO...

¡DIOS TE GUÍE, VALEROSO CABALLERO!

¡DIOS SEA CONTIGO, ESCUDERO INTRÉPIDO!

LA LIBERTAD, SANCHO, ES UNO DE LOS PRINCIPALES DONES QUE A LOS HOMBRES DIERON LOS CIELOS...

...NO SIEMPRE HEMOS DE HALLAR CASTILLOS DONDE NOS REGALEN, TAL VEZ VENTAS DONDE NOS APALEEN...

Muchos hidalgos pobres pueden haber leído los libros y soñado con la caballería. Pero sólo uno decidió trasladar lo leído a la vida. Allí radica la originalidad de Don Quijote y su locura, que se irradia a Sancho Panza.

167

Esta línea se afirma con la novela burguesa, en Flaubert, con *Bouvard y Pécuchet*. Pero establece otras vecindades si se piensa el camino como lo opuesto a la vida sedentaria, lugar de la aventura y lo imprevisto. Así, el *Quijote* resulta el antecedente de una novela como *On de Road*, de Jack Kerouac.

La locura quijotesca puede leerse como un plan de evasión. Comienza cuando Don Quijote escapa de la opresiva vida de su hogar y se alarga hasta el cansado agrimensor que, en *El castillo*, la novela de Franz Kafka, quiere recuperar la normalidad en un mundo que se volvió inaccesible.

También puede leerse como un recurso que Cervantes aprovecha. Todavía cerca de la Edad Media, cuando los hombres aún eran juzgados por sus actos y no por sus intenciones, la conducta del loco movía a la risa. Y se consideraba normal que el loco tuviese rachas de lucidez.

...ESTOS CABALLEROS PROFESARON LO QUE YO PROFESO, QUE ES EL EJERCICIO DE LAS ARMAS...

Con la Ilustración, las intenciones comienzan a prevalecer sobre las acciones, y los románticos pueden descubrir en la locura de Don Quijote su aspecto heroico. Los héroes clásicos luchaban contra el mal; Don Quijote lucha contra la realidad misma.

La razón de un héroe clásico, como Ulises, como Eneas, persigue un progreso con sus aventuras. Don Quijote se encuentra al final de las suyas en el mismo lugar, defraudado física y moralmente. Y aun cuando persigue un sueño imposible, persevera.

Este sentido se exalta desde *Moby Dick*, la novela de Melville, hasta el musical de Broadway, *El hombre de la Mancha*, y a él le debe su alma un personaje como Phillip Marlowe, el detective inventado por Raymond Chandler.

La idea romántica de que su personaje no es un loco risible sino un héroe triste, le hubiese parecido a Cervantes un despropósito. Pero el *Quijote* le pertenece a los lectores, no a su autor.

El filósofo Spinoza en su *Ética* (1674) señaló que las acciones y los sentimientos no pueden juzgarse de acuerdo con lo bueno y lo malo, sino de acuerdo con lo que conviene a cada cuerpo. Hay cosas que pueden hacerse y sentirse siendo libres, y otras que suponen ser triste y esclavo. El único mundo es este, y sólo hay diferentes modos de habitarlo.

La disminución de la potencia de acción provoca odio y tristeza. En cambio, el buen vivir radica en organizar los encuentros para que broten sentimientos activos. El problema es que, al lanzarse al mundo, el sujeto queda expuesto a un permanente riesgo de malos encuentros, percepciones erróneas e ideas inadecuadas.

En la lectura del *Quijote* puede experimentarse que lo importante de su locura no está en lo que Don Quijote evade, sino en lo que asume. El desafío de averiguar hasta dónde un cuerpo es capaz de hacerse soberano de sí mismo, de sus propios cambios y variaciones. Su ética es la alegría del combate, con la que aumenta la potencia de acción y organiza los encuentros que son positivos para él.

Tal vez por eso ningún sistema conceptual pueda abarcar la sensación de alegría que este libro produce en los lectores que le están destinados. La risa nos sacude, el corazón se conmueve. Pocos clásicos pueden leerse, como el *Quijote*, con todo el cuerpo. Y no es usual que la literatura ofrezca de manera tan generosa el encuentro con dos amigos capaces de llevarnos más allá del libro.

...TENDIERON DON QUIJOTE Y SANCHO LA VISTA POR TODAS PARTES: VIERON EL MAR HASTA ENTONCES DELLOS NO VISTO...

VII. LA MUERTE
De la consecuencia que tuvo la derrota frente al Caballero de la Blanca Luna.

...MI DAMA ES MÁS HERMOSA QUE TU DULCINEA...SI LO CONFIESAS EVITARÁS TU MUERTE...

En el Barroco, la vida se consideraba una preparación para la muerte. A contramano de esta concepción, Don Quijote arranca de la muerte en vida a Alonso Quijano y lo lleva a la aventura. ¿Qué es la vida y qué es la muerte? ¿Cuáles son sus valores respecto de la experiencia humana?

La aventura quijotesca interroga a la muerte pero también a la vida. Es a la vez un despertar a la conciencia de su existencia y un desafío a sus límites a través de la búsqueda de una trascendencia ya no divina, sino humana.

CABALLERO DE LA BLANCA LUNA, YO OS HARÉ JURAR QUE JAMÁS HABÉIS VISTO A LA ILUSTRE DULCINEA.

SI YO TE VENCIERE, QUIERO DEJANDO LAS ARMAS TE RETIRES A TU LUGAR POR UN AÑO...

LANGER-MIRA

El Caballero de la Blanca Luna es Sansón Carrasco, por eso perdona la vida a Don Quijote, quien seguirá al pie de la letra las reglas de su juego y no faltará a su juramento.

177

¿Contra qué luchaban Don Quijote y Sancho? Su juego puede entenderse como un anhelo de inmortalidad y trascendencia frente a los límites de la experiencia humana, lo que el novelista Miguel de Unamuno llamó una "cruzada contra la muerte".

Pero también como afirmación de la vida en un mundo no trascendente. Permeabilidades del universo quijotesco y del pancesco, convivencia de la risa y el sentimiento. Sueños y realidades expuestos en su indeclinable fragilidad y perseverante resistencia. El juego paradójico de la experiencia y el mundo.

EL BACHILLER SANSÓN CARRASCO Y EL BARBERO HAN DE QUERER HACERSE PASTORES COMO NOSOTROS...

HAS DICHO BIEN, SANCHO...

Paradojas que alcanzan al destino de Cervantes y al de sus personajes: la aventura y la fama que salieron a buscar en los caminos, la encontraron en la literatura y en los libros.

CONSEJOS PARA LEER EL QUIJOTE

JUGAR. Encarar su lectura sin prejuicios, con un espíritu de libertad. Las reglas de juego que plantea el *Quijote* son cambiantes. Dejarse llevar, cambiar con ellas.

LEER EL LIBRO COMPLETO. *Don Quijote* es un libro largo para los actuales tiempos de lectura, pero en él no hay un solo libro, sino muchos.

NO APURARSE. Apreciar la sutileza de la creación de climas y diálogos. Cabalgar junto a Don Quijote y Sancho Panza.

COMPRENDER, ANTES QUE JUZGAR. En el *Quijote* no hay una verdad, sino una multiplicidad de ellas. Cada personaje responde antes a su propia identidad que a la de su autor.

REÍR. No olvidar que Cervantes escribió este libro para provocar risa.

APROPIARSE DE ESTE LIBRO, dentro de nuestras posibilidades y de acuerdo con nuestras emociones. El *Quijote* le pertenece a los hombres y las mujeres sensibles y honestos.

RELEER EN DETALLE CAPÍTULOS PREDILECTOS. Ese deleite puede revivirse y acompañarnos toda la vida.

LOS CAPÍTULOS PREDILECTOS DE CIPIÓN Y BERGANZA
Primera parte

Capítulo I. Cervantes introduce la locura de Alonso Quijano. Es la presentación de dos personajes a la vez, de dos mundos, de dos actitudes vitales, sobre el que podría decirse todo lo que se puede decir sobre la novela.

Capítulo VI. La quema de libros. Apreciar el gracioso modo en que el cura y el barbero juegan a ser inquisidores. Excelente contraste entre la visión masculina y la femenina de los libros de caballería y sus efectos (continúa en el capítulo VII).

Capítulo VIII. Los molinos. Obsérvese la brevedad del episodio, pero también la vitalidad de las descripciones. Un dato: los molinos de viento eran una invención tecnológica relativamente reciente en aquellos tiempos.

Capítulo XI. Don Quijote y Sancho comparten la comida con unos cabreros. Unas simples bellotas desatan una evocación poética. El caballero reconstruye una arcadia ideal que quiere restaurar (continúa en los capítulos XII, XIII y XIV con el episodio pastoril de Marcela y Grisóstomo).

Capítulos XIX y XX. Don Quijote la emprende contra un cortejo fúnebre y luego se da la aventura de los batanes. Dos aventuras nocturnas llenas de contraluces con un final memorable: Sancho y Don Quijote tienen miedo y se ríen de sí mismos.

Capítulo XXII. La liberación de los galeotes. Imposible describir el juego de palabras y de imágenes que despliegan los reos al explicar por qué van presos a las galeras. Dos visiones de la justicia, dos códigos en contraste, y la presentación de Ginés de Pasmarote.

Capítulo XXV. Don Quijote despacha a Sancho con una carta para Dulcinea; los dos amigos discuten sobre el estilo literario mientras negocian la recompensa que Sancho debe recibir por la pérdida de su burro. Uno de los mejores capítulos para apreciar el juego entre Don Quijote y Sancho.

Capítulos XXXII al XXXVI. Historia de *El curioso impertinente*. La novela intercalada dialoga con la situación que vive Don Quijote, atrapado en el juego de disfraces trazado por el cura. Muy buenos capítulos para apreciar el juego de realidades y apariencias, el tono feliz de toda la fábula.

Capítulo XLIX. Don Quijote encantado. Trasladado en una jaula a su casa, mantiene un largo diálogo con Sancho y un canónico sobre los libros de caballería que comienza en el capítulo XLVII. Se destaca el uso cómico de la dicotomía alma-cuerpo.

LOS CAPÍTULOS PREDILECTOS DE CIPIÓN Y BERGANZA

Segunda parte

Capítulo V. Sancho informa a Teresa que partirá con Don Quijote. El mundo pancesco se expande a su familia, los diálogos son deliciosos. Se extiende hasta los capítulos XXXIV y L.

Capítulo X. El encantamiento de Dulcinea. La simpleza rústica de la situación real está a la altura –e incluso es superior– del contraste entre la poética quijotesca ejecutada por Sancho y el discurso de un Don Quijote obligado a describir la fealdad.

Capítulo XX. Las bodas de Camacho. La increíble descripción del banquete es sólo la introducción para un cuadro que puede considerarse un antecedente del decadentismo. Cervantes hace gravitar, sutilmente, la perspectiva pancesca (continúa en el capítulo XXI).

Capítulo XXIII. Don Quijote desciende a la cueva de Montesinos. Si el lector quiere asomarse al comienzo del surrealismo, no tiene más que leer el relato que Don Quijote hace de su sueño. La inspiración del capítulo es clásica; el resultado, contemporáneo.

Capítulos XXXIV y XXXV. Los duques preparan una gran

aventura nocturna en el bosque. La "Disneylandia" quijotesca rebasa de efectos especiales. El lector imaginativo comprenderá perfectamente la mezcla de asombro y desconfianza que siente Don Quijote.

Capítulo LX. Don Quijote y Sancho son atrapados por Roque Guinard. El episodio es uno de los más irónicos y explícitamente sociales del libro. Obsérvese la organización de los ladrones como una corte y la conducta caballeresca de Roque. El único príncipe memorable del libro es un ladrón.

Capítulo LXXI. Sancho finge que acepta desencantar a Dulcinea. Engaña a Don Quijote y azota un árbol. Todo en medio de un regateo por el precio de cada azote. Don Quijote cree el engaño y no resiste el sufrimiento de su amigo. El amor concreto se impone al ideal.

184

Don Quijote eligió los caminos; Cervantes, en cambio, se replegó a imaginar sus combates en la literatura. Sus últimos años se parecieron más a la vida de Alonso Quijano que a la de Don Quijote.

No es extraño que a la muerte de su personaje le siguiese, en muy poco tiempo, la muerte de su creador. Y es justo que nosotros, lectores, quedemos, como Sancho, felices y satisfechos con la herencia recibida.

PARA MÍ NACIÓ DON QUIJOTE, Y YO PARA ÉL, ÉL SUPO OBRAR Y YO ESCRIBIR, SOLOS LOS DOS SOMOS PARA EN UNO, A DESPECHO DEL ESCRITOR FINGIDO, A QUIEN ADVERTIRÁS, SI LLEGARAS A CONOCERLE, QUE DEJE REPOSAR EN LA SEPULTURA LOS CANSADOS Y YA PODRIDOS HUESOS DE DON QUIJOTE...

Suele suceder que algunos personajes de novelas se constituyan en arquetipos de ideas o conceptos. Dupin, el detective de Poe, es la inteligencia; Dr. Jekyll y Mr. Hyde, de Stevenson, encarnan el bien y el mal. Lo mismo sucede con Don Quijote: su mito trasciende el libro.

El escritor Jorge Luis Borges arriesga una explicación. La literatura medieval era alegórica. Sus historias eran fábulas de abstracciones como la novela lo es de individuos. En las alegorías, las abstracciones están personificadas, por eso tienen algo de novelístico.

ENTRE COMPASIONES Y LÁGRIMAS DE LOS QUE ALLÍ SE HALLARON, DIO SU ESPÍRITU: QUIERO DECIR QUE SE MURIÓ...

En la novela subsiste un elemento alegórico, por eso, los personajes aspiran a lo genérico. Así, Don Quijote significa idealismo y ser un Quijote es ser un soñador.

Pero lo esencial de la novela de Cervantes se ha guarda-
do en la ambivalencia del uso del nombre de su personaje. "Quijote" puede utilizarse para elogiar o para denigrar,
para burlarse o para destacar a aquellos que, de alguna
manera, rompen con lo predecible y salen al camino.

ALONSO QUIJANO
QPD

TUVO A TODO AL MUNDO EN POCO
FUE EL ESPANTAJO Y EL COCO
DEL MUNDO, EN TAL COYUNTURA,
QUE ACREDITÓ SU VENTURA,
MORIR CUERDO Y VIVIR LOCO

Esta mitificación no deja de ser una reducción. El *Quijote* es un libro complejo y feliz, lleno de matices y de
múltiples sentidos. El lector puede leer su *Quijote*, uti-
lizarlo para saber de sí mismo. Cualquier interpreta-
ción, incluso las que incluye este libro, no trasciende
de la idea: leerlo es una experiencia del cuerpo.

Cervantes murió en 1616, el mismo día calendario que Shakespeare. El inglés leyó el *Quijote*; el español no conoció la obra del dramaturgo. Pero compartieron un destino igualmente imperecedero e influyente. Aunque sólo un puñado de personajes creados por Shakespeare pueden aspirar a alcanzar la altura de Don Quijote y Sancho.

El escritor Antony Burgess, en un relato, imaginó una visita de Shakespeare a España. Allí era invitado a presenciar una corrida y, entre toro y toro, se realizaba una mascarada...

En la risa de quienes lo reconocen, en la admiración de Shakespeare, tal vez se encuentren las causas por las que una parte de nuestro destino humano sigue ligado a la suerte del más significativo de los caballeros.

LOS AUTORES

RUBÉN MIRA (Argentina, 1964). Escritor y guionista. En 1992 publicó su novela *Guerrilleros (Una salida al mar para Bolivia)*. Desde el año 1998 escribe guiones de cine junto a Carlos Gamerro.

SERGIO LANGER (Argentina, 1959). Dibujante, humorista gráfico, arquitecto. Publica desde 1979 en medios gráficos de la Argentina, América, Europa y USA. Colaboró en *Humor, Sex Humor, Página/12, Playboy, Newsweek, La Prensa, Perfil,* entre otros. Actualmente publica en distintos medios: el diario *Clarín* (la tira diaria "La Nelly"), la revista *Barcelona, El Comercio* (Lima, Perú), el semanario *El Jueves* (España), el *Courrier Internationale, Argenpress info* (sitio de noticias editado en internet) y la Agencia "Caglecartoons" de USA. Es cofundador y editor de *Lápiz Japonés* (1993). Publicó, además, *Langer blanco y negro* (Eudeba, 2001).

Sergio Langer-Rubén Mira. Trabajan como equipo creativo desde 1999 realizando colaboraciones de humor gráfico e historieta en distintos medios y publicaciones. Publicaron los libros *Orgullos Castrenses* (2001) y *Burroughs para Principiantes* (2001, de esta colección). Realizaron la tira *Fer Play* para el diario deportivo *Olé* de Buenos Aires y actualmente publican la tira diaria "La Nelly", en la contratapa del diario *Clarín*.

AGRADECIMIENTOS

Este libro está dedicado a mi madre, que me enseñó lo que significaba el Quijote antes de que supiese leer. Agradezco especialmente a Juan Carlos Kreimer por su paciencia, a Carlos Gamerro por sus aportes. También a Jimena Durán y a Catriel Tallarico por la dedicación puesta en el cuidado del libro. **R.M.**

A Juan Carlos por su buena onda y su paciencia, a Rubén Mira (el Colo) por su amistad, a Catriel Tallarico y Silvana Benaghi, por su profesionalismo y rapidez, y sobre todo a Susana Manifesto y Morita Langer, por el amor y el aguante de todos los días. **S.L.**